D1107467
TOUTE
L'ANNÉE &
LÂCHE PAS LA LECTURE!
de ta maman
xoxoxo
CHAtouille ton papa!
Utilise tes mots
et respire par
le nez!

# CÉDRIC

## ENFIN SEULS !

Dessin : Laudec

Scénario : Cauvin

Couleurs : Leonardo



DUPUIS

www.cedric.kidcomics.com

Dépôt légal : novembre 2003 — D.2003/0089/210
ISBN 2-8001-3353-8— ISSN 0775-6658

Imprimé en Belgique.
www.dupuis.com

# Attraction foirée

HIER SOIR, À LA TÉLÉ...

...IL Y AVAIT UN MEC...

AAARGAARGL
CÉDRIC, LAISSE-LE PARLER.

IL VA ENCORE INVENTER DES TRUCS QUI SONT PAS VRAIS!
AH, SI! J'TE JURE!

AH! TU VOIS!
BEN, QU'IL RACONTE, MOI, J'ÉCOUTE PAS!
VAS-Y, RACONTE.
254/1

IL Y AVAIT UN MEC, FOU AMOUREUX D'UNE NANA, MAIS QUI SAVAIT PAS COMMENT L'APPROCHER...

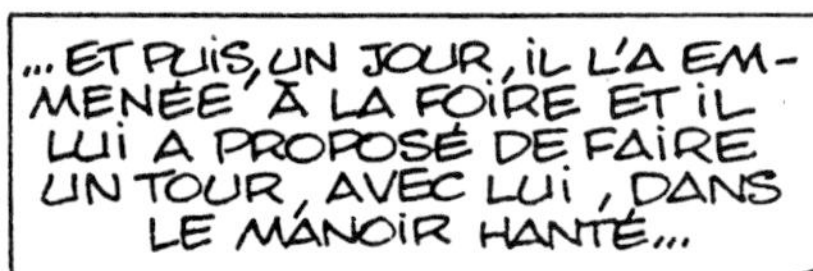
... ET PUIS, UN JOUR, IL L'A EMMENÉE À LA FOIRE ET IL LUI A PROPOSÉ DE FAIRE UN TOUR, AVEC LUI, DANS LE MANOIR HANTÉ...

ELLE A ACCEPTÉ ?

OUAIS, BIEN SÛR, MÊME QUE PENDANT TOUT LE TRAJET, ELLE A TELLEMENT EU LA TROUILLE QU'ELLE A PAS ARRÊTÉ DE S'ACCROCHER À LUI.
ET APRÈS ?

BEN... ILS NE SE SONT PLUS QUITTÉS, JUSQU'À LA FIN...

EH, CÉDRIC, POURQUOI T'ESSAIERAIS PAS ? IL Y A JUSTEMENT LA FOIRE...

... EN VILLE !
ZOUF

GOLDEN CASINO
TROPICAL

EH, CHEN, TU VEUX BIEN VENIR FAIRE UN TOUR AVEC MOI?
OÙ ÇA?

LÀ!
LE MANOIL HANTÉ?

OH NON, CÉDLIC, J'AULAIS TLOP PEUL. POULQUOI NE PAS DEMANDER À SOPHIE, OU À JENNY... OU À VALÉLIE?

JE VEUX BIEN, MAIS...

J'AI PEUL! J'AI AFFLEUSEMENT PEUL!
TANT MIEUX... EUH, NE T'INQUIÈTE PAS, JE SUIS LÀ...
CAISSE
254/3

CÉDLIC...
NE T'INQUIÈTE PAS, JE SUIS LÀ JE TE DIS.

BLAM

254/4

BLAM

MELCI, CÉDLIC.
PAS DE QUOI.

PLUS TARD...
ET ALORS ??
DIS-MOI, MANU, DANS TON FILM, LA NANA, ELLE A GARDÉ SES YEUX OUVERTS TOUT LE TEMPS ?

OUAIS ! BIEN SÛR ! POURQUOI ?
PARCE QUE CHEN LES A GARDÉS FERMÉS TOUT LE TEMPS !
25415

CAUVIN - Laudec 03

# Toute vérité n'est pas bonne à dire

SAMEDI SOIR, QUAND JE SUIS RENTRÉ CHEZ MOI, J'TE DIS PAS...
OH, SI, DIS !

J'AVAIS À PEINE MIS UN PIED DANS LA MAISON QUE J'AI COMPRIS QU'IL Y AVAIT DE L'ORAGE DANS L'AIR...
BZZZ

MA MÈRE REPASSAIT DANS LA CUISINE, PAPA ÉTAIT PLONGÉ DANS SON JOURNAL ET PÉPÉ REGARDAIT LA TÉLÉ...

QU'EST-CE QU'IL Y A D'ANORMAL À ÇA ?

MAMAN N'AVAIT PAS BRANCHÉ LE FER...

...PAPA TENAIT SON JOURNAL À L'ENVERS...

... ET LA TÉLÉ N'ÉTAIT MÊME PAS ALLUMÉE...

EN PLUS, ILS TIRAIENT UNE TÊTE JUSQU'À TERRE.
QU'EST-CE QUI S'ÉTAIT PASSÉ ?

ÇA, ILS LE DISENT JAMAIS ET T'AS PAS INTÉRÊT À LEUR DEMANDER...
POURQUOI ?

EUH... AHEM... ON PEUT SAVOIR CE QUI SE PASSE ICI ?
DEMANDE À TON PÈRE !
248/1

NATURELLEMENT, ÇA VA ENCORE ME RETOMBER DESSUS ET LE VIEIL INNOCENT, LÀ, VA ENCORE S'EN TIRER À BON COMPTE !
VOUS SAVEZ CE QU'IL VOUS DIT, LE VIEIL INNOCENT ?

PFUIII, NON, T'AS PAS INTÉRÊT.
ALORS, QU'EST-CE QUE T'AS FAIT ?

JE SUIS ALLÉ DANS MA CHAMBRE ET J'AI ATTENDU QUE ÇA SE PASSE...
PANINI

ET ÇA S'EST PASSÉ ?
PENSES-TU...

PLUS TARD...
CÉDRIC, LE DÎNER EST PRÊT !

J'TE DIS PAS L'AMBIANCE...
BLAM

PAPA, IL A TROUVÉ LA VIANDE TROP CUITE ET IL N'A PAS TOUCHÉ À SON ASSIETTE

CHIOMP CHIOMP MIAM

PÉPÉ, COMME MAMAN AVAIT FAIT DES ÉPINARDS, IL A PAS TOUCHÉ NON PLUS À SON ASSIETTE...
GLOU GLOU GLOU

QUANT À MAMAN, ELLE A JUSTE MANGÉ UNE BANANE. C'EST TOUJOURS CE QU'ELLE FAIT DANS CES CAS-LÀ, PARCE QU'ELLE A UNE BOULE DANS L'ESTOMAC COMME ELLE DIT.
CHIOMP CHIOMP
248/2

ET TOI?
JE SUIS RETOURNÉ DANS MA CHAMBRE AVEC UNE BOÎTE DE BISCUITS.

LE MATIN, QUAND JE ME SUIS LEVÉ, J'ESPÉRAIS QUE TOUT SERAIT RENTRÉ DANS L'ORDRE ET QU'ILS AURAIENT PROFITÉ DE LA SOIRÉE POUR SE REMETTRE D'ACCORD.

MON OEIL! QUAND JE SUIS DESCENDU POUR LE PETIT DÉJEUNER...

...J'AI TOUT DE SUITE COMPRIS QUE MON PAPA AVAIT PASSÉ LA NUIT SUR LE DIVAN. C'ÉTAIT MAUVAIS SIGNE...

POURQUOI?
BEN, DES FOIS, ILS VONT SE COUCHER ET, LE MATIN, QUAND ILS SE LÈVENT, JE SAIS PAS TRÈS BIEN POURQUOI, MAIS C'EST COMME S'IL N'Y AVAIT RIEN EU LA VEILLE.

MAIS DES FOIS, Y DORMENT PAS ENSEMBLE, ET LÀ, TU PEUX EN ÊTRE CERTAIN, C'EST REPARTI AU MOINS POUR DEUX OU TROIS SEMAINES.
TON GRAND-PÈRE, QU'EST-CE QU'IL FAIT PENDANT CE TEMPS-LÀ?

IL RESTE DANS SON LIT. IL FAIT LE MORT.

ET TA MÈRE?
M'AN? COMME D'HABITUDE AUSSI, DANS CES CAS-LÀ...

...ELLE PRÉPARE MON PETIT DÉJEUNER ET RETOURNE SE COUCHER.
LAIT
248/3

EH BÉ... COMMENT ÇA S'EST TERMINÉ TOUT ÇA ?
LE TÉLÉPHONE S'EST MIS À SONNER...
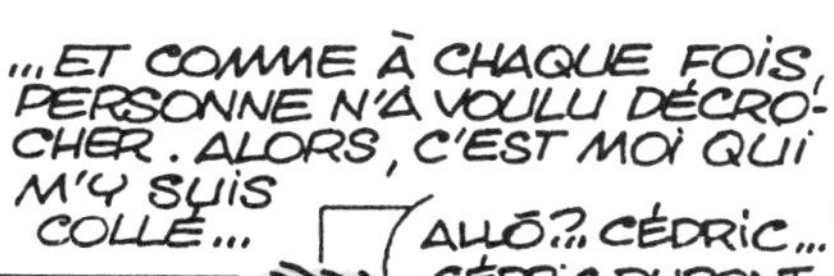
...ET COMME À CHAQUE FOIS, PERSONNE N'A VOULU DÉCROCHER. ALORS, C'EST MOI QUI M'Y SUIS COLLÉ...

ALLÔ ?... CÉDRIC... CÉDRIC DUPONT...

MON PAPA ? IL A EU DES MOTS, HIER, AVEC MAMAN. IL A PASSÉ LA NUIT SUR LE DIVAN ET IL DORT ENCORE.

MAMAN ? ELLE A PRÉPARÉ MON PETIT DÉJEUNER ET ELLE EST RETOURNÉE SE COUCHER...
PÉPÉ ?... OH, LUI... IL NE PARLE PLUS À PERSONNE. PARFOIS, JE ME DIS QUE C'EST DOMMAGE QUE C'EST LUI QUI EST RESTÉ. MÉMÉ M'AURAIT SÛREMENT PAS LAISSÉ TOMBER, ELLE !

CÉDRIC, QUI C'ÉTAIT ?!!
'SAIS PAS !

MAIS ENFIN, CÉDRIC, QU'EST-CE QUI T'A PRIS D'ALLER ÉTALER AINSI NOTRE VIE PRIVÉE À TOUT LE MONDE ?
C'EST VRAI, QUOI. LES HISTOIRES DE FAMILLE, ON NE VA PAS LES CRIER SUR TOUS LES TOITS !
ON A L'AIR DE QUOI MAINTENANT ?

C'EST VRAI ÇA. QUI C'ÉTAIT ?
'SAIS PAS ! QUAND J'AI DIT MON NOM, IL A DIT : "EXCUSEZ-MOI C'EST UNE ERREUR", ET IL A RACCROCHÉ. MOI, J'AI CONTINUÉ À PARLER TOUT SEUL, MAIS ÇA, ILS LE SAVAIENT PAS.
TU ES FORMIDABLE, CÉDRIC. MAIS LA PROCHAINE FOIS, SI ÇA ARRIVE ENCORE, QU'EST-CE QUE TU FERAS ?

'SAIS PAS ! ON VERRA.
248/4

CAUVIN - Laudec

# Les idées s'envolent, le nichoir reste

QU'EST-CE QUE TU VAS FAIRE, GAMIN ?
UNE MAISON POUR LES OISEAUX.
UNE STATUE A LA GLOIRE DE WALTHERY EN LIEU ET PLACE DE L'ARC DE TRIOMPHE A PARIS....

MADEMOISELLE NELLY A DIT QU'EN HIVER, QUAND IL FAIT TRÈS FROID, ILS NE SAVENT PAS OÙ ALLER ET ILS ONT BESOIN DE PETITES MAISONS POUR SE RÉCHAUFFER.
ET ELLE A BIEN RAISON.

TU VEUX UN COUP DE MAIN ?
NON, ELLE A DIT QUE JE DEVAIS FAIRE ÇA TOUT SEUL.

QUELQUES CONSEILS ALORS ?
NAN ! J'ARRIVERAI À ME DÉBROUILLER TOUT SEUL !

BON !„ EH BEN VAS-Y PUISQUE TU ES SI MALIN.

SCANDALE A ANGOULÊME
BÉDUSE FAIT PASSER POUR CHUITEN ET RAFLE LE 1er PRIX !!
LES TGV NIOUZ
INCROYABLE !
UN PETIT AVION DE TOURISME S'ÉCRASE DANS UN CHAMP DE BETTERAVES
LE PILOTE AVAIT FAIT UNE CRISE D'HYPOGLYCÉMIE !

ET VOILÀ, J'AI FINI !
QUOI ? DÉJÀ ?
BUSH TIENT ENFIN SA PREUVE !
LES INSPECTEURS DE L'ONU ONT DÉCOUVERT UN PISTOLET À EAU EN IRAK ! C'EST UN CASUS BELLI, A DÉCLARÉ RUMSTEAK !

C'EST... C'EST QUOI, ÇA ?
UNE BOÎTE À CHAUSSURES. J'AI JUSTE FAIT UN TROU DANS LE COUVERCLE ET...

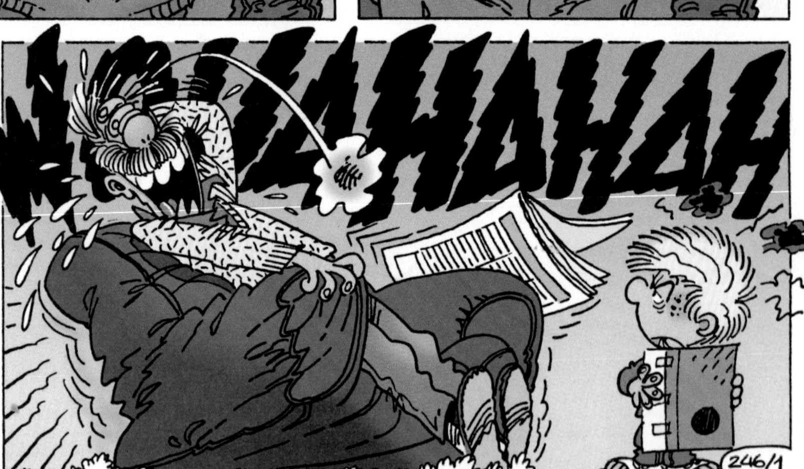
HAHAHAH
246/1

UNE BOÎTE À CHAUSSURES... DEHORS... ELLE NE TIENDRA PAS DEUX JOURS, PETIT-FILS D'ANDOUILLE.

TON GRAND-PÈRE A RAISON, CÉDRIC. CETTE BOÎTE EST FAITE EN CARTON, ET LE CARTON NE RÉSISTE PAS À L'HUMIDITÉ.

AH?
EH!

J'AI UNE IDÉE!
NOOOON? ÇA T'ARRIVE?
PAPA!

JE SAIS, JE SAIS... MAIS PARFOIS, IL M'ÉNERVE, CE PETIT.

ÇA Y EST!
QU'EST-CE QUE TU AS FAIT?

J'AI MIS DU PLASTIQUE DESSUS ET JE L'AI FAIT TENIR AVEC DES FICELLES. AINSI, IL NE SERA PAS MOUILLÉ.

QUELLE HORREUR! SI J'ÉTAIS UN OISEAU, MÊME COMME TOILETTES JE N'EN VOUDRAIS PAS.

ET SI TU EN FABRIQUAIS UN AUSSI, PAPA? D'ABORD, TU POURRAIS LUI MONTRER COMMENT ON FAIT; ENSUITE, PAR LE TEMPS QU'IL FAIT, DEUX ABRIS NE SERONT VRAIMENT PAS DE TROP POUR CES PETITES BÊTES.
T'AS RAISON, MARIE-ROSE.

DONNE-MOI UNE HEURE, GAMIN, ET, QUAND J'EN AURAI TERMINÉ, NOUS IRONS TOUS LES DEUX ACCROCHER NOS OEUVRES AU JARDIN.
246/2

AINSI, TU POURRAS TE RENDRE COMPTE QUE, MÊME AVEC LEUR PETITE CERVELLE, LES OISEAUX NE SONT PAS DES MANCHES ! ET QU'ILS SAVENT FAIRE LA DIFFÉRENCE ENTRE UNE CHARMANTE MAISONNETTE ET UN TAUDIS.
BLAM
BLAM
POKPOK
BLONG

PLUS TARD...
ALORS, QU'EST-CE QUE VOUS DITES DE ÇA ?

J'AIME MIEUX LE MIEN !
AH OUAIS ? À PRÉSENT, ON VA VOIR CE QUE VONT FAIRE LES OISEAUX.

EXCELLENTE IDÉE ! APRÈS TOUT, CE SONT LES PREMIERS CONCERNÉS, NON ?

BLAM BLAM
BLAM
BLAM
BLAM

ET À PRÉSENT, OBSERVE, FLEUR DE NAVE !
246/3

AH? AAAH...
AH... AH?

?
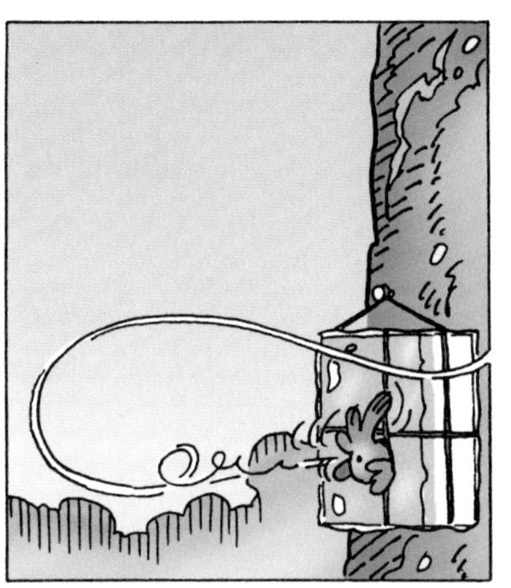

INCROYABLE ! JE LEUR OFFRE LE CHÂTEAU DE VERSAILLES ET CES STUPIDES VOLATILES PRÉFÈRENT LA LOGE DU CONCIERGE. J'AIMERAIS QU'ON M'EXPLIQUE !

FACILE, PAPA !
AH OUAIS, VAS-Y, JE T'ÉCOUTE !

CÉDRIC A LAISSÉ SON CAKE À L'INTÉRIEUR.

IL IRA LOIN CE PETIT, OUAIS, IL IRA LOIN...
246/4
CAUVIN - Laudec '03

# Une prothèse en herbe

BRRRRRBRRRRRBRRRRRRRRRRRRRRRRRRRRR
AAA... TCHÂÂ ATCHÂÂ
ROBERT, VA VOIR CE QUI ARRIVE À PAPA. DEPUIS UN MOMENT, IL N'ARRÊTE PAS D'ÉTERNUER.

UNE ALLERGIE AU POLLEN, SANS AUCUN DOUTE. C'EST LA SAISON.
ATCHÂÂ

RRBRRRRRRRRRPÊT PÊT PÊT...
LAISSEZ-MOI FAIRE. JE NE TIENS PAS À AVOIR UN MORT SUR LA CONSCIENCE.

BRTBRRRRRRRRR
SZNIRF
ÂÂTCHÎÎ
ATCHÂ
TCHÂ

BRRRRRPÊT PÊT
PAK PAK PAK-PAK PAK KRAK

VOUS N'AURIEZ RIEN PERDU PAR HASARD ?

MILLE MILLIARDS
À VOTRE ÂGE, QUAND VOUS ÉTERNUEZ, METTEZ LA MAIN DEVANT LA BOUCHE, QUE DIABLE !

JE SERAI FRANC AVEC VOUS, MONSIEUR BOUDINET. FÊLÉ, CASSÉ, FENDU, ON PEUT TOUJOURS FAIRE QUELQUE CHOSE, MAIS UN DENTIER COMME CELA, SOUS FORME DE CONFETTIS, AVEC DE L'HERBE DESSUS, ÇA RISQUE D'ÊTRE EXTRÊMEMENT DIFFICILE...
DIPLOM
LSD
ERIC ROMPEN
255/1

CAUVIN - Laudec

# La patience a des limites

QU'EST-CE QUE TU VAS EN FAIRE DE CET OEUF DE CYGNE?
JE VAIS LE DÉCORER.

T'ES DINGUE! IL Y A SIX SEMAINES QU'IL TRAÎNE LÀ, IL DOIT ÊTRE POURRI À L'INTÉRIEUR.
JE VAIS COMMENCER PAR LE VIDER, SOT.

EH BEN, BON COURAGE. ÇA VA PAS SENTIR LA ROSE.
OUI, MAIS QU'EST-CE QU'IL SERA JOLI APRÈS!

CÉDRIC!
?

YE... YETI?

COMMENT TU AS SU QUE J'ÉTAIS LÀ?
TA MÈRE M'A DIT QUE TU ÉTAIS ICI...

...ET MÊME SI ELLE NE M'AVAIT RIEN DIT, CE N'EST PAS DIFFICILE DE TROUVER QUELQU'UN DANS CE TROU PERDU.
TU... TU TE SOUVIENS DE CHRISTIAN? C'EST MON...

BONJOUR!

COMMENT ME TROUVES-TU?
BEN...
250/1

OUI, JE VOIS. TOUJOURS AUSSI STUPIDE. TU N'Y CONNAIS TOUJOURS RIEN À LA MODE.
CHRISTIAN, NOON!

QU'EST-CE QU'IL A ?
RIEN... RIEN...

QU'EST-CE QUE TU AS LÀ, DANS LE NEZ ?
DANS LA NARINE, TU VEUX DIRE. ÇA S'APPELLE UN PIERCING.

TOUTES LES FILLES À LA MODE EN PORTENT PARTOUT, AUJOURD'HUI. REGARDE, J'EN AI ENCORE DEUX, LÀ DANS L'OREILLE...

...ET ENCORE LÀ, UN DANS LE NOMBRIL.

ÇA FAIT PAS MAL ?
QUAND ON LE MET, OUI, MAIS IL FAUT PARFOIS SOUFFRIR POUR ÊTRE BELLE.
BELEBELEBELE BELEBELEBELE

TU ES TOUJOURS AUSSI AMOUREUX DE TA JAPONAISE ?
CHINOISE !

C'EST PAREIL ! OÙ EST-ELLE ? ON PEUT LA VOIR ?
JE PRÉFÈRE PAS !

ALLEZ... DIS-MOI OÙ ELLE EST !
NAN !

ET TOI, TU PEUX ME DIRE OÙ ELLE EST ?
250/2

ARGL AARG
CÉDRIC, TU VIENS ?

PAS DE COMMENTAIRES HEIN ?
PROMIS, JURÉ !

HIHIHI... QUELLE BANDE DE CLOCHES ! TOUJOURS À JOUER À CES JEUX STUPIDES ET RIDICULES.
YÉTI !

T'AVAIS PROMIS...
BON, BON, JE NE DIRAI PLUS RIEN...

... SI CE N'EST QUE TA JAPONAISE EST RESTÉE D'UN CLASSIQUE, JE TE DIS PAS !..
GRRRR... SSSSS...

COMME SES COPINES D'AILLEURS. MON DIEU, QUELLE HORREUR. ELLES SONT TOUT SIMPLEMENT INSORTABLES...
CÉDLIC !
EUH... OUI, CHEN ?

MAIS ENFIN, REGARDEZ-VOUS. VOUS ÊTES TRISTES À MOURIR. QU'EST-CE QUE VOUS ATTENDEZ POUR VOUS METTRE À LA MODE, BON SANG ?
CÉDLIC, POULQUOI T'AS ENCOLÉ LAMENÉ CETTE FILLE ?
JE... JE VOULAIS PAS, JE TE JURE. C'EST ELLE QUI A VOULU VENIR...
250/3

POULTANT, TU SAIS BIEN QU'ELLE NE DIT QUE DES MÉCHANCETÉS...
ELLE... ELLE M'AVAIT PROMIS DE NE RIEN DIRE...

MON DIEU, ET EN PLUS ELLE A GARDÉ SON ACCENT.

UN BON CONSEIL, MA PETITE, SI VOUS NE VOULEZ PAS ÊTRE LA RISÉE DE TOUT LE MONDE, ICI, IL FAUDRA VOUS EN DÉFAIRE, ET VITE. VOUS N'ÊTES PLUS AU TONKIN ICI...

QU'EST-CE QUI LUI PREND?
TU L'AS FROISSÉE, TIENS!

MON DIEU, COMMENT PEUT-ON PRENDRE LA MOUCHE SI FACILEMENT !?
CHEN...
CHEN...

CHEEEEN!

QUAND MÊME, ÇA M'ÉTONNE QU'ELLE AIT LAISSÉ TOMBER SI FACILEMENT. CE N'EST PAS SON GENRE.
250/4

SPLOTCH

POUÂÂH
HÎÎÎÎÎÎÎÎÎÎÎÎÎ
BERK BERK BERK
BEUEEERK

ÎÎÎÎÎÎÎÎÎÎÎÎÎÎÎÎÎÎÎÎÎÎÎÎÎÎÎÎÎ... J'VEUX RETOURNER À LA MAISOOOON !
MON OEUF ! C'ÉTAIT MON OEUF !

ET À PRÉSENT, CÉDRIC, TU PEUX M'EXPLIQUER EXACTEMENT CE QUI S'EST PASSÉ AVEC TA COUSINE ?
'SAIS PAS, MAMAN ! J'TE JURE. J'L'AI PAS QUITTÉE D'UN POUCE.
HÎÎÎÎÎÎÎ
CALME-TOI, MA CHÉRIE, CALME-TOI.

FRANCHEMENT, TU CROIS QUE CHEN N'EST PAS DANS LE COUP ?
MAIS NON, TU AS BIEN VU, ELLE ÉTAIT MÊME PAS LÀ.

BEN JUSTEMENT...
JUSTEMENT, QUOI ?
OH, RIEN !
25015

CAUVIN - Laudec '03

# À pied, à cheval et en voiture

CHÉRIE, JE CROIS AVOIR UNE BONNE IDÉE POUR LES VACANCES CETTE ANNÉE. REGARDE, ON DESCENDRAIT PAR ICI, ON LONGERAIT LA CÔTE ET...
OH, NOOON ! ENCORE LA VOITURE ?
LES PSV SONT-ILS TOUS FOUS

TU NE CROIS PAS QUE POUR UNE FOIS, ON POURRAIT CHANGER DE MOYEN DE LOCOMOTION ?
LEQUEL ?
L'AVION, PAR EXEMPLE

L'AVION ?.. MMM... POURQUOI PAS ?...

UN INSTANT !
QU'EST-CE QU'IL NOUS VEUT ENCORE, CELUI-LÀ ?

J'AI OUBLIÉ DE TE DIRE... DEPUIS UN BOUT DE TEMPS, APRÈS AVOIR LU SON JOURNAL, PAPA DÉCOUPE LES FAITS DIVERS POUR LES CLASSER DANS UN DOSSIER.

POURQUOI ?
!..
AVIONS... AVIONS...

26 JANVIER 1987, UN ILIOUCHINE S'ÉCRASE AU PAKISTAN. 192 MORTS. AUCUN SURVIVANT. 17 AOÛT 1990, UN TUPOLEV RATE SON ATTERRISSAGE. 126 MORTS. AUCUN SURVIVANT...
CE SONT DES AVIONS RUSSES.

1995, UN AIRBUS...
ÇA VA ! ÇA VA !
219 MORTS...
ÇA VA, J'AI DIT !
253/1

J'AI LA PHOTO. VOUS VOULEZ VOIR ?
ADMETTEZ QUAND MÊME QUE CE GENRE D'ACCIDENT EST PLUTÔT RARE !

C'EST CE QUE DEVAIENT SÛREMENT SE DIRE LES MALHEUREUX EN EMBARQUANT DANS L'AVION.
CÉDRIC !

RETOURNE À TA LECTURE, TU VEUX !?
ENFIN, MOI JE DIS ÇA, JE DIS RIEN. APRÈS TOUT, C'EST VOUS QUI DÉCIDEZ.

BON... EH BEN, ESSAYONS LE CAR ALORS.
LE CAR... LE CAR...

UN CAR SE RENVERSE DANS UN RAVIN EN ESPAGNE. 12 MORTS, 21 BLESSÉS DONT 8 GRIÈVEMENT... CAR CONTRE POIDS LOURD AU PORTUGAL. 9 MORTS, 41 BLESSÉS DONT 26 DANS UN ÉTAT GRAVE...

LÀ AUSSI, J'AI DES PHOTOS, JE VOUS ASSURE, ÇA VAUT LE COUP D'OEIL.
CES ACCIDENTS SURVENAIENT TRÈS SOUVENT À CAUSE DE LA FATIGUE DU CHAUFFEUR...

IL LUI ARRIVAIT DE S'ASSOUPIR AU VOLANT ET LA CATASTROPHE DEVENAIT INÉVITABLE. À PRÉSENT, ILS ONT MIS DEUX CHAUFFEURS PAR CAR. ÇA NE DEVRAIT PLUS ARRIVER...
SAUF S'ILS S'ENDORMENT TOUS LES DEUX.

CÉDRIC, RAMÈNE CES PHOTOS, TU VEUX ?
ENFIN, MOI JE DIS ÇA ET JE DIS RIEN. APRÈS TOUT, C'EST VOUS QUI DÉCIDEZ.

RESTE LE TRAIN. C'EST PLUS SÛR, LE TRAIN...
LE TRAIN... LE TRAIN...
253/2

VOUS AI-JE PARLÉ DE CE TRAIN QUI A PRIS FEU AU BENGLADESH ? D'APRÈS L'ARTICLE, L'INCENDIE AURAIT PRIS NAISSANCE DANS LA VOITURE DE TÊTE, PROPAGEANT AINSI LES FLAMMES DANS TOUTE LA RAME JUSQU'À LA FIN DU CONVOI...

JE NE VOUS DIS PAS LE NOMBRE DE MALHEUREUX DONT ON N'A RETROUVÉ QUE LES RESTES CALCINÉS.
PAPA, ARRÊTE !

CÉDRIC !

EH BIEN, NOUS VOILÀ REVENUS À NOS PREMIÈRES AMOURS. LA VOITURE.

LA VOITURE... LA VOITURE...

ALORS LÀ, CE NE SONT PAS LES ACCIDENTS QUI MANQUENT ... À 80% MORTELS, BIEN ENTENDU ! J'EN AI D'AILLEURS ICI TOUTE UNE PANOPLIE...

CARAMBOLAGES SUR LES AUTOROUTES, VOITURES FAUCHÉES PAR DES TRAINS AUX PASSAGES À NIVEAU, ENCASTRÉES SOUS DES POIDS LOURDS, ÉCRASÉES SUR DES PLATANES, TOMBÉES DANS DES RIVIÈRES, DES CHOCS FRONTAUX, DES AQUAPLANINGS, DES VIRAGES RATÉS...
ENFIN, JE DIS ÇA, JE DIS RIEN. APRÈS TOUT, C'EST VOUS QUI DÉCIDEZ.

ET ALORS, QU'EST-CE QU'ILS ONT DÉCIDÉ ?
RIEN !
AUTREMENT DIT, VOUS NE PARTIREZ PAS EN VACANCES CETTE ANNÉE ?
NON !

QUELQUE CHOSE ME DIT QUE TON PÉPÉ, IL LE FAIT EXPRÈS PARCE QUE QUELQUE PART, IL A HORREUR DE LA SOLITUDE.
OUAIS !

253/3

CAUVIN - Laudec 03

# Pépé fait de la résistance

TU ES EN RETARD, ROBERT.
C'EST À CAUSE DE LA MANIFESTATION QU'ILS ONT ORGANISÉE, ICI, DANS LA VILLE, ILS ONT BARRÉ LES RUES ET PLACÉ DES DÉVIATIONS PARTOUT.
ELLE PASSE POUR LE MOMENT EN DIRECT À LA TÉLÉ.
VOUS PERMETTEZ ?
MERCI.

JE M'ÉTONNE QUE VOUS N'EN FASSIEZ PAS PARTIE...

ET POURQUOI J'IRAIS DÉFILER AVEC CETTE BANDE DE ZOZOS, VOUS POUVEZ ME LE DIRE ? ET CONTRE QUOI CETTE FOIS ? LES OGM ? LE NUCLÉAIRE ? LA PAIX DANS LE MONDE ?

FOUTAISES QUE TOUT CELA. DE TOUTE FAÇON, D'ICI UNE PAIRE D'ANNÉES, JE SERAI MORT.
AU FAIT, C'EST VRAI, POURQUOI MANIFESTENT-ILS CETTE FOIS ?

LE GOUVERNEMENT PARLE ENCORE DE DIMINUER LES RETRAITES.

BLAM

PLUS TARD...

?

EEEH ! Y A PÉPÉ QUI PASSE EN DIRECT À LA TÉLÉ !
ON SAIT !
249/1
CAUVIN Laudec

# À malin, malin et demi

NOOON, C'EST PAS VRAI ! TU AS RÉUSSI À VENDRE TES CINQ CARNETS ?
C'EST COMME JE TE DIS.

COMMENT T'AS FAIT ?
LA RUSE... J'AI EMPLOYÉ LA RUSE.

J'AI COMMENCÉ PAR LE PLUS DIFFICILE : EN VENDRE UN À MON PÉPÉ.
'JOUR, PÉPÉ.
SALUT GAMIN.
... ET VOICI SPÉCIALEMENT POUR LA PETITE ELISA, UNE CHANSON DE JOHNNY HALLIDAY...

'JOUR, MAMAN.
QUOI, ENCORE DES BILLETS DE TOMBOLA ?
BEN... OUI
OH MARIE... SI TU SAVAIS...
TOUT LE MAL QUE

INUTILE D'ESSAYER DE M'EN VENDRE UN. CE SERAIT TE RENDRE UN MAUVAIS SERVICE. À TOI DE TE DÉBROUILLER.
JE PEUX EN VENDRE À QUI JE VEUX ?
OH MARIE SI JE POUVAIS
DANS TES BRAS NUS ME

À QUI TU VEUX. C'EST TON PROBLÈME.
ET JE MARCHE TOUTE LA J
SANS SAVOIR OÙ JE V

DANS LE BR
KLIK

RONFLRRRRRRR

OÙ VAS-TU ?
AU CIMETIÈRE.
RRRR ?

252/1

POURQUOI FAIRE ?
JE VAIS ALLER RENDRE VISITE À MÉMÉ PARCE QUE SI ELLE AVAIT ENCORE ÉTÉ LÀ, ELLE M'EN AURAIT SÛREMENT ACHETÉ UN, ELLE.

MAIS ENFIN, CÉDRIC, ELLE EST DÉCÉDÉE...
PAS TOUT À FAIT, PARCE QUE PÉPÉ DIT TOUJOURS QUE, QUAND IL VA SUR SA TOMBE, IL LUI PARLE...

EUH... OUI... ET ALORS?
S'IL LUI PARLE, C'EST QU'ELLE L'ENTEND...
PCHHH

BEN... DISONS QU'ILS COMMUNIQUENT PAR LA PENSÉE.
C'EST PAREIL! ET S'IL LUI PARLE, C'EST QU'ELLE RÉPOND, SINON POURQUOI IL CONTINUERAIT À LUI CAUSER?

CÉDRIC, EXPLIQUE-TOI CLAIREMENT. OÙ VEUX-TU EN ARRIVER?
BEN, COMME ELLE PEUT PAS L'ACHETER ELLE-MÊME...

... ELLE RÉUSSIRA SÛREMENT À CONVAINCRE PÉPÉ DE LUI EN ACHETER UN.

ÉCOUTE, CÉDRIC...
NE ME DIS PAS QUE TOUT ÇA C'EST PAS VRAI ET QUE PÉPÉ Y FAIT QUE RACONTER DES BÊTISES.

COMBIEN?

HIHIHI, À MON AVIS, TU T'ES ENCORE LAISSÉ AVOIR JUSQU'AU TROGNON.
Y A PAS DE DOUTE, MAIS TU VEUX QUE JE TE DISE ? IL IRA LOIN, CE PETIT.

LE DEUXIÈME, JE L'AI VENDU À MARRAINE JEANNE.
COMMENT T'AS FAIT ?
252/2

JE SUIS D'ABORD PASSÉ CHEZ LE POISSONNIER...
AIGLEFIN & FILS
POISSONNERIE
AIGLEFIN

UNE HEURE QUE J'AI LAISSÉ MON CARNET PARMI LES CARCASSES DE POISSON...

JE TE DIS PAS QUAND JE SUIS ARRIVÉ CHEZ ELLE...
CÉDRIC, QUELLE BONNE SURPRISE ! ENTRE.
SNIF

C'EST BIENTÔT FINI, OUI ?!

QU'EST-CE QUE TU TENAIS EN MAIN ?
UN... UN CARNET DE BILLETS DE TOMBOLA... ENFIN, C'ÉTAIT...
AH ?
EH !

PEU APRÈS...
JE NE COMPRENDS TOUJOURS PAS CE QUI LEUR EST PASSÉ PAR LA TÊTE.
MOI NON PLUS. AU REVOIR, MARRAINE.

POUR LE TROISIÈME, JE ME SUIS SERVI DE CALIGULA...

J'AI ATTENDU LE PASSAGE DU FACTEUR...

...ET JE SUIS ALLÉ GLISSER MON CARNET AU MILIEU DU COURRIER.
25213

ÇA N'A PAS TRAÎNÉ...
CALIGULA, NOOON!
WARF

GRRR
GNAP
GRRR

NOOOOOON!
SCRITCH
SCRIÎÎTCH
SCRITCH
SCRIÎÎÎÎTCH

C'EST CHAQUE FOIS PAREIL!
À LA MAISON, SALE BÊTE!

MON CARNET...
QUEL CARNET?

MON CARNET DE TOMBOLA. POUR NE PAS VOUS DÉRANGER, JE L'AVAIS MIS DANS LA BOÎTE AUX LETTRES. JE PASSAIS JUSTE POUR VOIR SI VOUS L'ACHÈTERIEZ OU PAS.

MAIS ENFIN, CÉDRIC, TU SAIS BIEN QUE CALIGULA PREND TOUJOURS UN MALIN PLAISIR À DÉMOLIR MON COURRIER.
J'AVAIS OUBLIÉ. ÇA NE FAIT RIEN, J'Y METTRAI DE MA POCHE.

ATTENDS!

LE QUATRIÈME, JE L'AI VENDU À MADAME COMHAIR.
ÇA ALORS! COMMENT T'AS FAIT? PERSONNE N'A JAMAIS RÉUSSI À LUI VENDRE NE FÛT-CE QU'UN SEUL BILLET.

BONJOUR, MADAME COMHAIR.
'JOUR.

NON, DÉSOLÉ JE NE PEUX RIEN VOUS VENDRE.
?
252/4

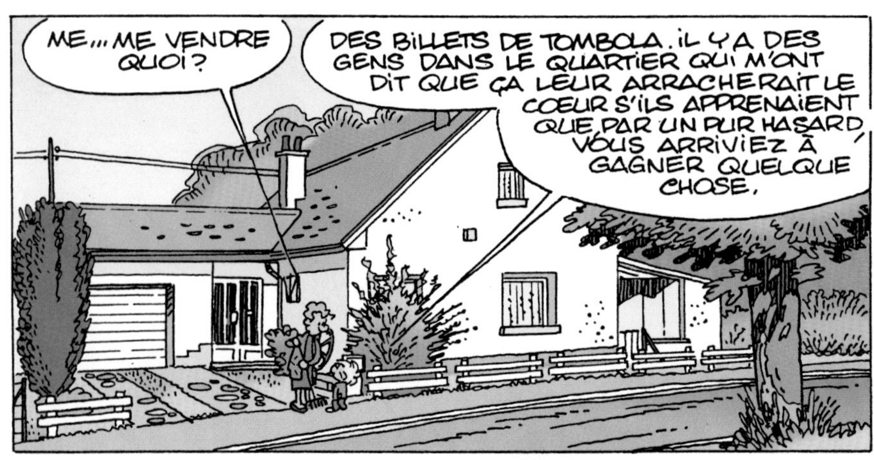
ME... ME VENDRE QUOI?
DES BILLETS DE TOMBOLA. IL Y A DES GENS DANS LE QUARTIER QUI M'ONT DIT QUE ÇA LEUR ARRACHERAIT LE COEUR S'ILS APPRENAIENT QUE, PAR UN PUR HASARD, VOUS ARRIVIEZ À GAGNER QUELQUE CHOSE.

ILS ONT DIT ÇA!?
OUI, MÊME QU'ILS ONT AJOUTÉ QUE JE POUVAIS ALLER OÙ JE VOULAIS, MAIS SURTOUT PAS CHEZ VOUS.

ILS ONT DIT ÇA?
VOUS SAVEZ COMMENT SONT LES GENS.

ILS ONT DIT ÇA?
DÉSOLÉ.

COMBIEN?
LE BILLET?
LE CARNET!

INCROYABLE! ET LE DERNIER?

CÉDRIC, À QUI AS-TU VENDU LE DERNIER?
JE L'AI OFFERT À CAPRICE...

À... À CAPRICE?! MAIS C'EST BIEN, ÇA!

...DE TA PART!

T'AS PAS FAIT ÇA?
SI!
T'AS PAS FAIT ÇA?
SI!
252/5

OÙ VAS-TU ?
LUI DIRE QUE C'EST PAS VRAI, QUE C'EST TOI QUI AS ENCORE TOUT INVENTÉ !

À TA PLACE, JE FERAIS PAS ÇA.
ET POURQUOI, JE TE PRIE ?

SI TU AVAIS VU SES YEUX BRILLER QUAND JE LUI AI REFILÉ LE CARNET. ELLE N'ARRIVAIT PAS À CROIRE QUE C'EST TOI QUI L'OFFRAIS. À PRÉSENT, SI TU VAS LUI DIRE QUE TOUT ÇA, C'ÉTAIT DU PIPEAU...

ÇA VA ! T'AS GAGNÉ COMBIEN ?
EH, HO, C'EST PAS À TOI QUE JE VAIS APPRENDRE LES TARIFS. T'ES AU COURANT DES PRIX, NON ?

CÉDRIC, TU ES UN... UN...
DIS PAS, CHRISTIAN. PARAÎT QU'IL FAUT TOUJOURS SE RINCER LA BOUCHE QUAND ON DIT UN GROS MOT ET IL N'Y A QU'UN ABREUVOIR PAR ICI.

PLUS TARD...

CÉDLIC !
CH... CHEN ?

CHLISTIAN M'A DIT QUE TU AVAIS TLOUVÉ UN TLUC FOLMIDABLE POUL VENDLE LES BILLETS DE TOMBOLA. MOI, JUSQU'ICI, JE N'AI ENCOLE PAS PU EN VENDLE UN SEUL. TU PEUX LES VENDLE À MA PLACE, DIS ?

MELCI, TU ES TLÈS GENTIL.

CHRISTIAN, TU SAIS CE QUE TU ES ? UN...UN...
SURTOUT NE LE DIS PAS ! SI C'EST VRAI CE QUE TU AS DIT TOUT À L'HEURE, TU RISQUES FORT DE PASSER UNE SEMAINE DANS TA BAIGNOIRE, LA BOUCHE GRANDE OUVERTE.
25216

CAUVIN - Laudec '03

# Un mensonge qui fait tache

TULUTUUUT
TULUTUUT
TULUTUUUT
TULUTUUT
PAPA, TU VEUX RÉPONDRE, S'IL TE PLAÎT? JE SUIS OCCUPÉE.

CÉDRIC, TU AS VU L'HEURE QU'IL EST? ET TU N'ES PAS ENCORE LAVÉ NI HABILLÉ!
J'ARRIVE, 'MAN!
TILUUT, DIDOULI KLIK, TILIUUUUTDLI BLIP
ALLÔ?

QUI ÉTAIT-CE?
UNE ERREUR.
QUI C'EST QUI A TÉLÉPHONÉ?

TA VIETNAMIENNE, GAMIN. ELLE A DIT QU'ELLE ALLAIT PASSER TE PRENDRE DANS QUELQUES MINUTES, MAIS ELLE N'A PAS DIT POURQUOI.
PAPA!

CHINOISE!
PAPA, TU DEVRAIS AVOIR HONTE!
BAH, DU MOMENT QUE ÇA MARCHE.

FLATCH
FLITCH
FLATCH
FLITCH

FRITCH FRITCH FRITCH FRITCH FRITCH FRITCH FRITCH FRITCH FRITCH

PCHIIII
PCHIIII
PCHIIII
PCHIII
PCHIII
PCHIIII

ZOUUUFF

CÉDRIC, TON PETIT DÉJEUNER...
J'AI PAS LE TEMPS, 'MAN. TU AS ENTENDU, CHEN VA ARRIVER...
244/1

CHEN NE VIENDRA PAS. C'ÉTAIT JUSTE UNE BLAGUE DE TON GRAND-PÈRE POUR TE FAIRE LEVER.
QUOI, C'ÉTAIT PAS VRAI ?
NON !

C'ÉTAIT PAS VRAI ?
NON, JE TE DIS.

C'ÉTAIT PAS VRAI ?
NON, NON ET NON !... ET À PRÉSENT MANGE, VEUX-TU ?

SPLOF
NONDIDJÖ !
CÉDRIC !

PLUS TARD...
BONJOUR, TOUT LE ...?!

IL... IL N'Y A PERSONNE ?
NON. TON FILS EST PUNI DANS SA CHAMBRE. QUANT À PAPA, IL DOIT ÊTRE QUELQUE PART À NETTOYER SON PULL !

QU'EST-CE QUI S'EST ENCORE PASSÉ ?
LAISSE-MOI D'ABORD ME CALMER, VEUX-TU ?

D'ACCORD, JE NE M'ATTENDAIS PAS À CETTE TARTINE À LA CONFITURE, MAIS QUI TE DIT QU'EN PAREIL CAS, JE N'EN AURAIS PAS FAIT AUTANT ?
244/2


CAUVIN - Laudec '03

# C'est pas la mer à boire

CÉDLIC, JE PEUX VENIL ME PLOMENER AVEC TOI ?
HEIN ?.. OH OUI, BIEN SÛR, CHEN.

QUELLE BELLE JOULNÉE, TU NE TLOUVES PAS ?
OH OUI !

LEGALDE !

SMOUTCH

HI HI HI
HI HI

AAHH !
C'EST CÉSAL ! IL VIENT NOUS DILE BONJOUL.

N'AIE PAS PEUL, IL VEUT JUSTE QU'ON LE CALESSE, C'EST TOUT.
C'EST... C'EST QUE CE N'EST PAS DANS SES HABITUDES...
247/1

MAIS SI, ESSAIE, TU VELLAS !

CÉDLIC, VIENS, JE T'AI PLÉPALÉ UNE SULPLISE.

DU LIZ, DES LOEMPIAS ET DU THÉ, LIEN QUE POUL TOI, CÉDLIC.

CHEN...

NICOLAS, TU VOIS BIEN QUE JE SUIS AVEC CÉDLIC. LAISSE-NOUS TU VEUX !?

AH ? BON !

TU NE MANGES PAS ?
HEIN ?... HEU... SI... SI, SI !

CÉDLIC... J'AI... J'AI QUELQUE CHOSE À TE DILE...
AH OUI ?
CHIOMP CHIOMP CHIOMP
247/2

EH BEN VAS-Y!

JE... JE NE SAIS PAS PAL OÙ COMMENCER...
COMMENCE PAR N'IMPORTE QUOI...

CÉDRIC
OUI?
JE...
OUI?

NON... JE... JE N'OSE PAS.

VAS-Y, CHEN, DIS-LE, DIS-LE...
EH BIEN, VOILÀ.

CÉDRIC...
OUI?..
OUI?..

CÉDRIC...
OUI?

CÉDRIC, C'EST POUR AUJOURD'HUI OU POUR DEMAIN?

LAISSE-MOI DORMIR ENCORE UN PEU, 'MAN.
PAS QUESTION! TU VAS ÊTRE EN RETARD À L'ÉCOLE!

JUSTE UNE MINUTE.
CÉDRIIIIC!
DIX SECONDES.
IL N'EN EST PAS QUESTION! HOP, DEBOUT!

QU'EST-CE QUI SE PASSE?
JE NE SAIS PAS CE QU'IL A, MAIS CE MATIN, IL REFUSE DE SE LEVER.
247/3

AH,AH,AH ! C'EST LE MOMENT D'EMPLOYER UNE BONNE VIEILLE MÉTHODE QUE MES PARENTS EMPLOYAIENT DANS MA JEUNESSE LORSQUE J'AVAIS LE RÉVEIL DIFFICILE.

PAPA, QU'EST-CE QUE TU..?
T'EN FAIS PAS. ÇA MARCHE À TOUS LES COUPS !

HÉHÉ HÉHÉ
PAPA !

LÀ ! TU VOIS ? DRÔLEMENT EFFICACE, PAS VRAI ?

OUI, MAIS EN ATTENDANT, LES DRAPS SONT MOUILLÉS.
LA BELLE AFFAIRE ! APRÈS TOUT, CE N'EST QUE DE L'EAU.

N'EMPÊCHE, IL ME FAUT LES SÉCHER.
CHIOMP SLURP

ÇA NE PRENDRA QUE QUELQUES MINUTES...
LA JOURNÉE, OUI !
247/4

'JOUR, VOUS...
TIENS, VOUS N'ÊTES PAS AU TRAVAIL ?

JE VOUS AI DIT HIER SOIR QUE J'AVAIS PRIS CONGÉ AUJOURD'HUI
J'AVAIS OUBLIÉ.

OÙ EST CÉDRIC ?
PARTI À L'ÉCOLE.
ET VOTRE FILLE ?
ELLE SÈCHE SON LINGE.
CHIOMP
CHIOMP
CHIOMP

QUOI ? À CETTE HEURE ?

QU'EST-CE QUE...? NE ME DIS PAS QUE CÉDRIC A MOUILLÉ SES DRAPS ?
NON, C'EST PAPA.

EH BEN VOILÀ ! TÔT OU TARD, JE SAVAIS QUE ÇA FINIRAIT PAR ARRIVER.
QU'EST-CE QUE VOUS VOULEZ DIRE PAR LÀ ?

QU'À PARTIR DE MAINTENANT, IL VA FALLOIR PRÉVOIR UN BUDGET POUR L'ACHAT DE COUCHES-CULOTTES.
VOUS SAVEZ OÙ VOUS POUVEZ LES METTRE VOS COUCHES-CULOTTES ?
PAPA !

BEN, SUR VOS FESSES MAIGRELETTES ESPÈCE DE VIEUX FO...
ROBERT !
VOUS SAVEZ CE QU'ELLES VOUS DISENT, MES FESSES MAIGRELETTES ?
PAPA !

PLUS TARD...
TU SAIS, PÉPÉ, J'AI FAIT UN RÊVE MERVEILLEUX CETTE NUIT. JE PEUX TE RACONTER ?
À CONDITION QUE TU ME LAISSES RACONTER LE CAUCHEMAR QUE J'AI VÉCU CE MATIN, GAMIN.
247/5

CAUVIN - Laudec '03.

# Une poule, sinon rien

TU DOIS REMETTRE UNE DISSERTATION SUR LA VIE D'UN JOUR D'UN ANIMAL DE BASSE-COUR ?
OUI, M'SIEUR.

LES ANIMAUX, C'EST PAS ÇA QUI MANQUE ICI. T'AS CHOISI LEQUEL ?
UNE POULE.

UNE POULE ? Y EN A PARTOUT. T'AS QUE L'EMBARRAS DU CHOIX. C'EST BON, VAS-Y !
...'CI, M'SIEUR

PLUS TARD...
ALORS, CETTE DISSERTATION ?
J'AI FINI.
ET ON PEUT SAVOIR CE QUE TU AS PONDU ?
INCROYABLE!
CHARLY GILLES
L'ORDINATEUR
QUI FONCTIONNE
BIEN

LA POULE SE LÈVE LE MATIN. ELLE N'ARRÊTE PAS DE BOUFFER, ELLE POND UN ŒUF ET VA SE COUCHER LE SOIR.

QUOI, C'EST TOUT ?
BEN, C'EST TOUT CE QUE J'AI VU.

MAIS SACRÉ NOM DE NOM, IL Y A QUAND MÊME AUTRE CHOSE À RACONTER SUR UNE POULE...
MAIS, QU'EST-CE QUE JE PEUX DIRE D'AUTRE ?
PAPA A RAISON. TU MANQUES SÉRIEUSEMENT D'IMAGINATION, CÉDRIC.
MICROLOFT DEMENT FORMELLEMENT UN TEL ORDINATEUR ÇA N'EXISTE PAS
243/1

EUH... JE NE SAIS PAS, MOI. ATTENDS...

...AH OUI, UNE POULE NE BOUFFE PAS, ELLE PICORE.
VA NOTER...
AH BON?

ET À PRÉSENT, QU'EST-CE QUE ÇA DONNE?

LA POULE SE LÈVE LE MATIN, ELLE N'ARRÊTE PAS DE PICORER. ELLE POND UN OEUF ET VA SE COUCHER LE SOIR.

CE N'EST VRAIMENT PAS GRAND-CHOSE!
C'EST DÉJÀ MIEUX QUE LA PREMIÈRE VERSION, NON?
TU VOIS AUTRE CHOSE, M'AN?

EUH... COMME ÇA À FROID... ATTENDEZ QUE JE ME SOUVIENNE... AH OUI...

UNE POULE GRATTE LE SOL POUR TROUVER SA NOURRITURE...
EH BEN VOILÀ! NOTE, GAMIN...

BONJOUR, TOUT LE MONDE!
BONJOUR, VOUS!

QU'EST-CE QUI SE PASSE?
CÉDRIC DOIT REMETTRE UNE DISSERTATION SUR LA VIE D'UN JOUR D'UN ANIMAL DE LA BASSE-COUR. PAPA ET MOI, ON LUI DONNE UN COUP DE MAIN.

QU'EST-CE QU'IL A CHOISI COMME ANIMAL?
ET À PRÉSENT, GAMIN, QU'EST-CE QUE ÇA DONNE?
UNE POULE.
243/2

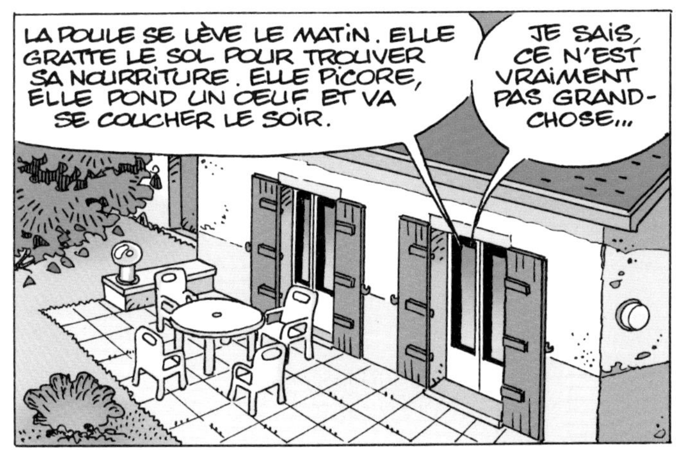
LA POULE SE LÈVE LE MATIN. ELLE GRATTE LE SOL POUR TROUVER SA NOURRITURE. ELLE PICORE, ELLE POND UN OEUF ET VA SE COUCHER LE SOIR.
JE SAIS, CE N'EST VRAIMENT PAS GRAND-CHOSE...

PAS GRAND-CHOSE! C'EST COM-PLÈTEMENT NUL, OUI!
VOUS VOYEZ AUTRE CHOSE?

IL DOIT SÛREMENT Y AVOIR AUTRE CHOSE À AJOUTER... VOYONS VOYONS...
ATTENDEZ QUE LA MÉ-MOIRE ME REVIENNE.

AH OUI!
LA POULE CAQUETTE ET GLOUSSE.
C'EST PAS GRAND-CHOSE.

NON, MAIS C'EST DÉJÀ ÇA.
ELLE A RAISON. NOTE GAMIN!

LE LENDEMAIN...
LA POULE SE LÈVE LE MATIN. ELLE GRATTE LE SOL POUR TROUVER SA NOURRITURE, ELLE PICORE, ELLE CAQUETTE ET GLOUSSE, ELLE POND UN OEUF, ET, LE SOIR, ELLE VA SE COUCHER.

AVOUE QUE C'EST PEU, CÉDRIC. IL Y A QUAND MÊME AUTRE CHOSE À RACONTER SUR UNE POULE!
DÉSOLÉ, MADEMOISELLE, C'EST TOUT CE QU'ON A TROUVÉ.

ON..?!
BEN, MOI D'ABORD... ET PUIS PÉPÉ, MAMAN AUSSI ET PUIS PAPA...

QU'EST-CE QU'ILS ONT DIT, TES PARENTS, POUR LES RÉSULTATS DE TA DISSERTATION?
LEUR DISSERTATION.
3/10, C'EST TOUT? CE N'EST VRAIMENT PAS GRAND-CHOSE! PAS GRAND-CHOSE?! C'EST COMPLÈTEMENT NUL, OUI!
243/3

CAUVIN - Laudec '03

# Petite Marie

CÉDRIC, TU AS FINI TES DEVOIRS ?
EUH... NON.

QU'EST-CE QUE TU ATTENDS ? DANS TA CHAMBRE, OUSTE !

DIS, PÉPÉ, TOI AUSSI TU AS ÉTÉ PETIT ?
HEIN ?

NON, JE SUIS NÉ COMME ÇA. TAILLE 1M75, POIDS 74 KG. JE TE DIS PAS À L'ACCOUCHEMENT.
PAPA !

À QUESTION IDIOTE, RÉPONSE IDIOTE !
MAIS ENFIN, TU LE CONNAIS. S'IL T'A POSÉ CE GENRE DE QUESTION, C'EST QU'IL AVAIT SÛREMENT QUELQUE CHOSE D'AUTRE À TE DEMANDER.

BON, VAS-Y, GAMIN, DIS-MOI CE QUI TE TRACASSE.
06Y11
245/1

TU AS EU MON ÂGE AUSSI ?
BIEN SÛR, J'AI PASSÉ TOUS LES ÉCHELONS. J'EN AI RATÉ AUCUN.

C'EST À CE MOMENT-LÀ QUE TU AS CONNU MAMY ?
NOOON. JE L'AI CONNUE BIEN PLUS TARD.

À CETTE ÉPOQUE, J'ÉTAIS TOMBÉ AMOUREUX D'UNE GAMINE DE MON ÂGE. ELLE S'APPELAIT MARIE.
WHAOW ! RACONTE.

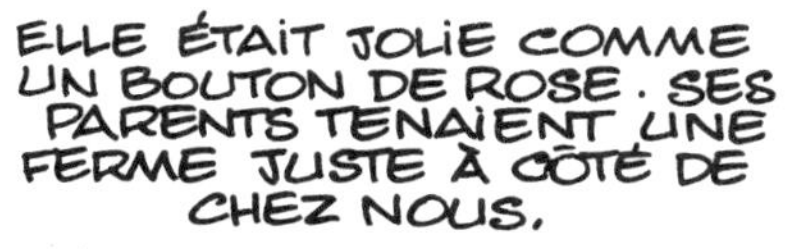

ELLE ÉTAIT JOLIE COMME UN BOUTON DE ROSE. SES PARENTS TENAIENT UNE FERME JUSTE À CÔTÉ DE CHEZ NOUS.

CHAQUE JOUR, JE LA VOYAIS S'OCCUPER DES ANIMAUX DE LA BASSE-COUR, DES POULES, DES CANARDS, DES OIES, DES LAPINS, DE BIQUETTE AUSSI. C'ÉTAIT SA CHÈVRE. ELLE LA TRAYAIT TOUS LES SOIRS...

IL LUI ARRIVAIT MÊME DE RENTRER LES VACHES...

AH, J'OUBLIAIS, ELLE FRÉQUENTAIT L'ÉCOLE ASSIDÛMENT... MOI, MOINS. JE N'AIMAIS PAS TROP ÇA.
245/2

...
AU DÉBUT, JE N'OSAIS PAS TROP L'APPROCHER... POURTANT, À L'ÉPOQUE, JE N'AVAIS PEUR DE PERSONNE...

MAIS AVEC ELLE, C'ÉTAIT PAS PAREIL. CHAQUE FOIS QUE JE L'APERCEVAIS, JE ME SENTAIS TOUT DRÔLE. J'AVAIS LE COEUR QUI BATTAIT VITE, LES MAINS MOITES ET DES SUEURS FROIDES...
OUAIS, JE CONNAIS.

ET APRÈS?
BEN, EST VENU LE JOUR OÙ J'AI PRIS MON COURAGE À DEUX MAINS ET OÙ J'AI OSÉ LUI PARLER.

À PARTIR DE CE MOMENT, CHAQUE JOUR, JE ME SUIS OCCUPÉ AVEC ELLE DES ANIMAUX DE LA BASSE-COUR, DES POULES, DES CANARDS, DES OIES, DES LAPINS...

DE TRAIRE LA BIQUETTE AUSSI... ET MÊME PARFOIS, DE RENTRER LES VACHES ...
SPLITCH
SPLITCH

ELLE CONTINUAIT À FRÉQUENTER L'ÉCOLE ASSIDÛMENT. MOI PAS. JE N'AIMAIS TOUJOURS PAS TROP ÇA.

ÉCOLE COMMUNALE

LE TEMPS PASSANT, ET COMME ELLE ÉTAIT DEVENUE TRÈS INTELLIGENTE, SES PARENTS L'ONT POUSSÉE À CONTINUER SES ÉTUDES.
245/3

ALORS, ELLE EST PARTIE DANS D'AUTRES ÉCOLES, ET PUIS D'AUTRES ENCORE...

PENDANT CE TEMPS, MOI, JE RESTAIS SEUL À LA FERME...
VIDE

À M'OCCUPER DES ANIMAUX DE LA BASSE-COUR, DES POULES, DES CANARDS, DES OIES, DES LAPINS... À TRAIRE LA BIQUETTE...

ET PARFOIS MÊME À RENTRER LES VACHES... MAIS C'ÉTAIT PLUS PAREIL...

TU LA VOYAIS PLUS ?
PRESQUE PLUS. ELLE REVENAIT BIEN DE TEMPS EN TEMPS RENDRE VISITE À SES PARENTS...

MAIS ELLE REPARTAIT AUSSITÔT SANS M'ACCORDER LE MOINDRE REGARD...
817 YA
ALORS, J'EN AI EU MARRE. J'AI PLANTÉ LÀ LES ANIMAUX DE LA BASSE-COUR, LES POULES, LES LAPINS ET TOUT LE RESTE ET JE SUIS ALLÉ M'ENGAGER AUX CHEMINS DE FER... VOILÀ...
C'EST APRÈS QUE TU AS CONNU MAMY ?
C'EST APRÈS, OUI !
245/4

À L'ÉPOQUE, ÇA M'AVAIT FICHU UN GRAND COUP, MAIS GERMAINE M'A FAIT BIEN VITE OUBLIER TOUT ÇA.

C'EST CE QUI TE PEND AU NEZ AUSSI. UN JOUR TA CHINOISE TE QUITTERA ET...
QUOI? MAIS NON!

MAIS SI! ENFIN, IL FAUT TE RENDRE À L'ÉVIDENCE, GAMIN. JE ME SUIS LAISSÉ DIRE QUE CETTE FILLE, FALLAIT PAS LA SUPPLIER POUR QU'ELLE FASSE SES DEVOIRS...

FALLAIT PAS LA POUSSER NON PLUS POUR ÉTUDIER SES LEÇONS ET QUE SES PARENTS NE FRISAIENT PAS LA CRISE D'APOPLEXIE À CHAQUE FOIS QU'ELLE RAMENAIT SON BULLETIN.

AUTREMENT DIT, PLUS TARD, ILS L'ENVERRONT AUSSI POURSUIVRE SES ÉTUDES DANS D'AUTRES ÉCOLES PENDANT QUE TOI, TU RESTERAS LÀ, TEL UN HARENG SUR UNE PLANCHE À PAIN, À TE DEMANDER CE QUE TU AS FAIT POUR EN ARRIVER LÀ!
JE... J'IRAI M'ENGAGER AUX CHEMINS DE FER.

HAHAHA ÇA M'ÉTONNERAIT. PAR LES TEMPS QUI COURENT, FAUT AVOIR UN DIPLÔME D'INGÉNIEUR, MÊME POUR PLACER DES BILLES SUR LE BALLAST.
BLAM

?
CÉDRIC, LE DÎNER EST PRÊT!
PLUS TARD, 'MAN. J'ÉTUDIE!
245/5

PARFOIS, JE VOUDRAIS SAVOIR CE QU'IL LUI RACONTE POUR EN ARRIVER À CE RÉSULTAT-LÀ.
MOI AUSSI, MAIS TÊTE DE MULE COMME IL EST, CROIS-MOI, IL N'EN SOUFFLERA PAS UN MOT.

CAUVIN - Laudec

C'EST FINI, CEDLIC. À QUOI LÊVES-TU ENCOLE?
HMM?

VRooooo